Chère Aurélie, je te dédie ce livre.

Comme Elenwë, tu es curieuse, passionnée, protectrice et remplie de joie de vivre!

Merci de me rendre plus fort.

Je t'aime ma puce,

Papa

Clan Boréal^MD

Coconcepteurs de l'univers

Guillaume Laliberté

et

Markus Gauthier

La série : Les Aventures du Clan Boréal

Auteur : Markus Gauthier

et

Illustrateur : Julien Lemaire

ISBN: 978-2-9817091-2-7

Dépôt légal - Bibliothèque et Archives nationales du Québec, 2021

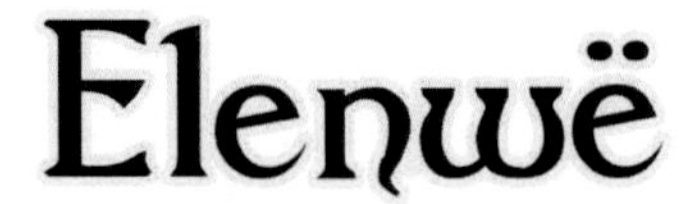

Jeune elfe des bois, elle a récemment atteint ses dix cycles. Elle est la meilleure amie de *Tylion*.

Très **brave** et **fonceuse**, elle est souvent le point de départ de leurs aventures!

Nerwendë

Mère d'*Elenwë*, chef des gardiennes et épouse de *Calimmacil*, le chef des chasseurs, elle est souvent inquiète pour ses pairs, mais toujours en donnant l'impression d'être **calme** et de contrôler la situation.

Ayant toujours **fière** allure, *Nerwendë* est une elfe droite et **disciplinée**, elle inspire la confiance et le respect de tous.

Kamönendil

Mage du village et mentor de *Tylion*, il **voit** à distance les sentiments de tous les êtres vivants et s'intéresse beaucoup à ceux des humains.

Professeur à ses heures, il aime transmettre autant qu'apprendre. **Passionné**, curieux et engagé, il se **dévoue** au clan Boréal jour et nuit.

Lalaith

Compagne de *Cemendur* le sculpteur, cette artiste peintre et gardienne démontre son humeur changeante à travers ses tatouages.

Elle **contemple** et **protège** ardemment les beautés de la nature et de la vie. Comme son arbre-hôte *Felyanwë*, elle **rayonne** de ses multiples couleurs à longueur d'année, peu importe les saisons.

Mablung

Fils de *Minérël* et d'un père inconnu, *Mablung* est le seul elfe noir parmi le clan Boréal. C'est le plus âgé des enfants du clan, et il aime se rendre utile et s'occuper l'esprit.

Déterminé et **fiable**, le regard **perçant** dans la nuit, il aime autant être gardien que chasseur.

1 - La confiance

Le coucher du soleil est magnifique par cette belle soirée d'été au clan Boréal.

Hélio le hibou, perché sur l'arbre le plus haut de la forêt boréale, regarde calmement *Yamil* l'écureuil sauter d'une roche à l'autre, puis monter sur un tronc afin de se retrouver sur une branche où il s'arrête sec.

Il a **senti** une présence sur l'arbre d'en face, il voit une jeune elfe presque invisible à l'œil nu, immobile, en train de regarder l'horizon. Elle se tourne et lui envoie la main avec un **sourire**.

C'est *Elenwë*, perchée sur un sapin magnifique. Elle se sent **légère** sans l'équipement de chasseur qu'elle a porté toute la journée, soit l'arc et son carquois avec les flèches à l'intérieur.

Par contre, elle ne se sépare jamais de sa bague de renouvellement de cycle.

Depuis qu'elle est toute petite, elle suit son père *Calimmacil* à la chasse des elfes et, aujourd'hui âgée de dix cycles[1], elle trouve cela trop facile.

Un peu plus tôt dans la journée, plusieurs elfes se sont mis ensemble pour aider les artisans naturels du clan à ramasser les framboises.

Une fois la cueillette terminée, *Elenwë* et *Tylion* sont allés se reposer au bas des trois chutes, en amont de la rivière qui traverse le clan Boréal.

---

[1] Dix cycles représentent environ cent ans en âge humain.

Elenwë, qui n'y va pas par quatre chemins avec *Tylion*, se rappelle lui avoir dit :

— Tu sais, *Tylion*, je suis un peu **jalouse**, tu es un mage, c'est extraordinaire!

— Toi, tu as obtenu ta bague de chasseur, ce n'est pas rien! Et puis, attention, je suis seulement guérisseur... en tout cas, pour l'instant. Je suis loin d'avoir les pouvoirs de notre mage, spécifia *Tylion*.

— Quand même, c'est un talent spécifique, ce qui veut dire **rare** et **unique**! ajouta *Elenwë*.

C'était la première fois qu'ils reparlaient ensemble de la guérison de l'orignal[2] qui avait changé la vie de *Tylion*[3].

---

[2] Élan d'Amérique.

[3] Consulte le livre *Les Aventures du Clan Boréal : 1- La première chasse* pour plus de détails.

Par contre, il ne voulait pas que cela change sa relation avec sa meilleure amie. Il ajouta :

— Et ce n'est pas si rose non plus, puisque *Kamö* dit que la magie est aussi une grande responsabilité, alors il y a des jours où j'ai l'impression de sentir une grande **pression** sur mes épaules et une **boule** dans mon estomac.

— Ne t'en fais pas, sache que tu n'es jamais seul à porter cette responsabilité, nous sommes une famille, un clan. Et comme *Nolofinwë* le sage nous l'apprend, la nature et la vie ont elles aussi leur propre volonté, que nous ne pouvons pas contrôler.

— Mais j'ai le pouvoir de l'influencer, si j'ai bien compris, et c'est ce qui m'effraie.

— Moi, je suis convaincue que tu feras toujours le bon choix, *Tylion*! Ton cœur est **bon** et pur.

— Merci, *Elenwë*, tu as tellement confiance en moi, ça m'aide à avancer. Et puis, n'oublie pas...

Avant de terminer sa phrase, *Tylion* releva le menton, se préparant à imiter la voix de *Nolofinwë* qui leur répète souvent ces mots, les yeux dans le vide :

« Les enfants, sachez que vous êtes tous les deux uniques et exceptionnels. Un destin extraordinaire vous attend, et ce, sur plus d'un fil de la tapisserie, je vous le confirme! »

Les deux jeunes elfes rirent ensemble.

La chasseuse **sourit** en pensant à ce souvenir, elle aime ces moments de complicité partagés avec *Tylion*. Puis elle sent le vent de la soirée caresser ses cheveux rouges.

Accroupie dans le creux des branches, elle est calme et alerte. Elle aspire à pouvoir en faire plus, à avoir plus de talents. Elle dit tout haut, comme si elle parlait à *Yamil* :

— Je suis en avance, je devrais bien les voir d'ici.

2 - La veillée

Elenwë observe et tente d'imiter les gardiennes du clan Boréal qu'elle **admire** tant. Elles doivent arriver d'un instant à l'autre.

« Houu houuuuu! »

Hélio fait entendre son premier **chant** de la veillée partout dans la forêt boréale québécoise. C'est le signal du rassemblement des gardiennes du clan Boréal pour le cycle de la veillée de nuit.

« Ma mère est toujours la première, bien sûr », se dit *Elenwë*.

Nerwendë est la chef des gardiennes, un groupe qui est traditionnellement composé seulement d'elfes féminins. Or, le clan Boréal fait figure d'exception à plusieurs égards, si on le compare aux autres endroits où vivent les elfes.

« *Mablung* est à peine plus vieux que *Tylion* et moi, mais il est déjà si musclé et **intimidant** », pense *Elenwë* en voyant arriver l'elfe de la nuit.

Vient ensuite *Aranna*, équipée elle aussi de son bouclier, mais tenant en plus à la main une lance et portant la cotte de mailles souple et résistante des elfes.

« Toujours **prête** à tout, elle répète constamment qu'elle a plus de qualités que son frère. Je dois avouer qu'elle a fière allure », pense *Elenwë*.

Son frère *Curudïn*, qui fait partie des chasseurs, est quant à lui convaincu que leur rôle au sein du clan est plus utile et important que celui des gardiennes. Une saine compétition fraternelle qui dure depuis des siècles!

« Ah, elle est toujours si **magnifique**, se dit *Elenwë* en voyant arriver la ménestrel du village, *Minérël*. Elle fait assurément tourner les têtes avec ses très longs cheveux blonds et ses yeux vairons. Son œil gauche est de couleur vert émeraude et l'autre, d'un bleu éclatant. Sans oublier son incroyable sourire **rayonnant**. »

Finalement, *Lalaith* arrive à la course, les cheveux en bataille, le visage et les doigts colorés. Sa passion pour toutes les formes d'art, mais surtout la peinture, transparaît de partout. Elle est **émotive**, impulsive et d'humeur changeante.

— Bon cycle de soirée à tous! commence *Nerwendë*, la chef des gardiennes, d'une voix calme mais autoritaire.

Toutes les gardiennes se tiennent droites, le regard porté directement devant, à l'écoute de leur chef qui s'apprête à donner les consignes de la veillée.

— Avant le début de sa méditation, *Kamönendil* m'a informée qu'au nord, il y a quelques animaux qui descendent de la montagne. À l'est, il y a l'Amérindien qui pose ses pièges, mais toujours à bonne distance, alors nous devrions avoir une veillée **tranquille** même si nous sommes seulement cinq. Vous savez que l'expédition de nos gardiennes dans le nord devrait se terminer d'ici une semaine. Nous effectuerons donc une rotation chaque soir jusqu'à leur arrivée. *Aranna*, tu iras au nord, *Lalaith* à l'est, *Minérël* au sud, et *Mablung*, je t'accompagne pour te montrer notre arbre-hôte de l'ouest nommé *Alnúna*. Cela vous va?

— Oui, héra! répondent les gardiennes selon la formule d'usage, deux doigts sur le cœur, faisant valser le pendentif en forme de bouclier qu'elles portent au cou.

— Tous ensemble, maintenant! s'exclame *Nerwendë*.

C'est alors que retentit dans la forêt la devise des gardiennes boréales, des paroles remplies de confiance qui résonnent avec beaucoup **d'intensité** dans le cœur d'*Elenwë* et ravivent son admiration :

« Immobiles, invisibles, silencieuses, **alertes** et efficaces, nous **protégeons** le clan. Au-delà de la nuit, au-delà des boucliers, l'inconnu est **surveillé**. »

Le torse bombé, tous savent ce qu'ils ont à faire et partent donc vers leurs arbres-hôtes, qui se dressent telles des tours aux quatre points cardinaux du clan Boréal des elfes.

La veillée des gardiennes du clan Boréal est commencée.

Le **vague à l'âme**[4], *Elenwë* repart comme chaque fois pour sa soirée et sa nuit à elle, vers l'arbre-hôte familial nommé *Eldenya*.

---

[4] État de tristesse.

3 - Le trappeur

Maurice est trappeur et fils de trappeur. Dans sa famille, ils se sont transmis de génération en génération les valeurs et les enseignements. Ses origines sont en réalité huronnes et son nom amérindien est Yänionyen' Sioui, qui veut dire « l'ours porteur de lumière ».

Cette fin de semaine, il a emmené au chalet ses petits-enfants, les triplés *Rosie*, *Rémy* et *Raphaël*, et il veut leur transmettre ses origines et ses connaissances ancestrales.

— Grand-père, je ne comprends pas le but, on va poser des pièges et **tuer** des animaux. Pourtant c'est plus simple, plus facile et moins méchant d'aller à l'épicerie pour manger de la viande, dit *Rémy*.

— Et d'où crois-tu qu'elle vienne, la viande? C'est certain qu'au Québec, on a beaucoup de normes et de règles, mais cela n'empêche pas qu'il existe toujours des élevages **brutaux** et non respectueux des animaux, cher enfant. Et puis, tout ce que tu manges, que ce soit de la viande ou des légumes, ça vient de la nature et fait partie d'un cycle de vie qui normalement **s'équilibre**, explique *Maurice*.

— C'est vrai, *Rémy*, j'ai une amie qui m'a montré des choses affreuses dans des vidéos sur Internet, dont un cochon qui se faisait arracher les... euh... eh bien les parties, là, ajoute *Rosie*.

Rémy fait mine d'être agité d'un soubresaut, mais son sourire s'efface à l'instant où il imagine le cochon qui **souffre**.

— Hum, hum, attention à ce que tu regardes avec tes amies, jeune fille. Mais oui, ils sont traités comme de vulgaires objets dans une usine. Je te le dis, si on **respecte** les limites que le gouvernement met en place avec les techniciens de la faune, et surtout si on **remercie** la nature pour ce qu'elle nous offre, la chasse et la trappe font moins souffrir l'animal. D'ailleurs, c'est probablement la façon la plus **écologique** de manger de la viande, et il y a moins de risques de maladies pour ton village, ajoute le trappeur amérindien.

— Mes amis disent que ce sont de vieilles superstitions, ça, les maladies, réplique *Raphaël*.

— Eh bien moi, je l'ai vu de mes propres yeux lorsque le fils du boulanger du village a **accidentellement** tué un jeune chevreuil : nous avions brisé le cycle. Sa viande fut infecte et plusieurs personnes sont tombées gravement **malades**.

Une femme est même morte. Je te le dis, il faut prendre très au sérieux ces enseignements de la vie.

Maurice installe un nouveau piège et montre aux enfants comment l'activer. Il leur explique qu'il faut le cacher, mais toujours avoir des codes et des points de repère afin de ne jamais se faire prendre à ses propres pièges.

— Moi, par exemple, j'ai l'habitude d'utiliser des rubans de couleurs.

Ils vont maintenant voir s'il y a des animaux dans les autres pièges alentour, et remplir de nourriture tous les appâts afin de les attirer. Un lapin seulement, à l'est de la maison. Sinon, rien. *Maurice* aimerait vraiment attraper l'ours noir qui cause des dommages au camping et fait **peur** aux campeurs.

— Venez! Par ici! Voici mon piège à ours fait avec de gros billots de bois. J'ai commencé par y déposer seulement un appât. Comme l'ours a une excellente mémoire et qu'il est **guidé** par la nourriture, j'espère avoir créé une habitude chez lui.

— Mais là, papi, ça va paraître évident! L'ours n'ira jamais, commente *Rémy*.

— Pour nous, cela semble évident, mais tu serais **surpris** de voir à quel point les ours peuvent être aveugles à ce qu'il y a autour lorsqu'ils sont distraits par la présence de nourriture, explique *Maurice*.

Sans le démontrer aux enfants, *Maurice* est intérieurement **déchiré**, car même s'il a le mandat d'attraper l'ours noir « **enragé** » qui a échappé à plusieurs chasseurs et trappeurs de la région, ça lui est très difficile, puisqu'il s'agit d'un animal sacré pour son clan comme pour plusieurs nations amérindiennes.

Son plus grand réconfort est d'être le meilleur trappeur, celui qui pourra mettre un terme à la vie de cet ours dans le plus grand respect ancestral.

Après avoir remonté un sentier, ils débouchent sur une clairière où ils aperçoivent au loin un ruban rouge accroché à une branche. *Rosie* le voit la première.

— Là, papi, regarde! C'est un de tes rubans sur l'arbre tout seul, là-bas.

— En effet, ma puce. Mais il y a quelque chose de **bizarre**.

Ils se dirigent ensemble près de l'arbre solitaire que *Rosie* a vu.

— Hum, je ne comprends pas. Je suis convaincu d'avoir placé ici un piège pour petit gibier, mais les traces ne sont pas celles d'un animal de cette taille. On voit là les feuillages pliés et quelques gouttes de **sang**, constate *Maurice*, préoccupé.

— L'animal serait parti avec le piège? demande *Raphaël*.

— Non, on dirait plutôt qu'une personne a été prise.

— Une personne! **Oh non!** s'exclame *Rosie*.

— Oui, vous voyez? Il y a une petite traînée avec des pas, tandis que l'ours laisse quatre grosses traces, et le lapin, deux longues et une plus courte. On dirait que le piège s'est refermé sur une femme très petite, mais assez forte pour le décrocher. Et les autres empreintes plus légères, ce sont des gens venus **l'aider**, explique le grand-père aux enfants.

— Mais où sont-ils allés? demande *Rémy*.

Maurice comprend qu'ils sont retournés dans **la forêt des esprits**, celle que ses ancêtres racontent depuis des années. Selon la légende, elle aurait été peuplée de créatures très anciennes, mais il n'a aucunement l'intention de piquer la curiosité des enfants maintenant. Il leur expliquera plus tard.

— Ce… ce n'est pas important, j'espère seulement que cette personne va mieux. Nous allons terminer notre tournée et ensuite nous préparer un bon souper sur le barbecue.

Avant de quitter la clairière, *Maurice* jette un regard derrière lui et distingue un léger mouvement. Il a l'impression de voir des yeux d'animaux au loin qui les **observent**. Tout doucement, il se retourne et marche plus rapidement en attirant *Rosie*, *Rémy* et *Raphaël* près de lui. Il tient son **couteau de chasse** à portée de la main jusqu'au chalet.

4 - L'occasion

Tout est calme et **paisible** du côté de l'arbre-hôte *Eldenya*.

Calimmacil boit le thé en regardant le soleil se coucher. Il se sent **rassuré** maintenant que sa fille est rentrée. Il pense beaucoup à elle puisqu'il a l'impression que quelque chose la **tracasse**.

Elenwë est étendue sur son lit, le regard au plafond. En contemplant le magnifique intérieur boisé d'*Eldenya*, elle songe à une mélodie qui irait bien avec la devise des gardiennes. Puis, tranquillement, elle sombre dans le sommeil tout en chantonnant.

Soudain, elle entend des bruits de pas, quelqu'un qui parle très **rapidement** à son père.

— *Elenwë*, debout, vite! crie *Tylion*, montant jusqu'à elle les marches d'*Eldenya* avec la permission de *Calimmacil*.

— *Tylion*! Mais qu'est-ce que tu fais ici à cette heure?

— Habille-toi! Ce soir, c'est **l'éveil** d'une nouvelle aventure! Je t'attends derrière la porte.

— Ah oui, c'est drôle, on dirait que les rôles sont inversés. Que me caches-tu?

— Ahhhh, c'est une surprise!

Très **contente** que se présente une nouvelle aventure avec *Tylion*, *Elenwë* se résout à se préparer, mais demande quand même :

— Je ne suis pas assez **patiente** pour attendre! Commence à m'expliquer, dis-moi ce qu'on va faire.

— Je pensais t'expliquer en marchant, mais bon, voilà, grâce à moi, tu pourras réaliser ton rêve.

Tylion commence alors le récit de sa soirée. L'elfe artiste et gardienne du clan, *Lalaith*, a reçu la mission par *Ralden*, l'arbre-hôte gardien de l'est, d'aller vérifier s'il n'y avait pas de coyotes qui rôdaient. Or, elle s'est retrouvée la jambe prise dans un **piège**.

— Oh non! Mais c'est affreux! l'interrompt *Elenwë* en ouvrant brusquement la porte, déjà tout habillée et prête.

— Oui, mais sois rassurée, grâce à toi et à la **confiance** que tu m'as accordée, j'ai bien réussi à la guérir en laissant aller mes émotions et en appliquant tous les conseils de *Kamö*. Bon, je me suis éloigné et perdu dans le souffle et la vague déferlante du guérisseur, mais en **criant** et en faisant des signes, *Kamö* et *Nerwendë* m'ont ramené à moi, explique *Tylion*, un peu **gêné** mais satisfait et **fier** en même temps.

— Eh bien, voilà! Tu vois, je te l'avais dit! répond *Elenwë* en sautant de **joie** et en prenant son meilleur ami dans ses bras pour le féliciter.

Sans briser leur étreinte, il lui explique que *Lalaith* a perdu beaucoup de sang et qu'elle commençait à reprendre connaissance lorsqu'il est parti. Juste avant, *Kamönendil* a dit :

— Sa blessure est guérie, mais elle aura besoin de dormir au clair de lune et de renouveler doucement son cycle, possiblement pour une semaine ou plus.

Excitée mais **apeurée** en même temps, *Elenwë* commence à comprendre pourquoi *Tylion* est venu la réveiller.

— *Tylion*, ne me dis pas que tu as suggéré à ma mère que je remplace la gardienne blessée! s'exclame-t-elle.

— Oui! Oui, c'est exactement ce que j'ai fait.

— Mais enfin... ma mère, elle aurait pu demander à n'importe quelle gardienne de jour de faire une veillée pour remplacer *Lalaith*, rétorque *Elenwë*.

— Eh bien, pas vraiment. C'est certain qu'elle a hésité au début, mais il n'y a plus beaucoup de gardiennes depuis qu'un groupe est parti en expédition ramener les bébés martres[5] égarés dans le nord et **renouveler** les plants de fruits sauvages. Et puis, *Kamö* a mentionné qu'il ressentait **l'énergie du dôme** en toi.

— Hein? Mais qu'est-ce que ça veut dire?

— Aucune idée, mais ça semble avoir aidé, et il n'a pas donné plus de détails. L'important, *Elenwë*, c'est que *Nerwendë*, la chef des gardiennes, a besoin d'une remplaçante **rapidement**, et je lui propose une personne réveillée et motivée, qu'elle connaît bien, pour surveiller l'est du clan. N'est-ce pas? demande *Tylion*.

---

[5] La martre d'Amérique est un mammifère de la famille des belettes que l'on rencontre en Amérique du Nord.

— Écoute, pendant une semaine de veillée, est-ce que je serai vraiment **capable** de le faire? se questionne *Elenwë* en jouant dans ses cheveux.

Tenant les bras de son amie, *Tylion* l'invite d'un seul regard à prendre une grande respiration en suivant son propre rythme.

— Tu sais, *Elenwë*, combien je **t'admire**? Tout est facile pour toi, tu as plusieurs talents, j'en suis convaincu, j'ai l'impression que tu peux tout réussir! confie *Tylion* avec émotion.

— Mais non, pas tant que ça, et tu sais ce que représentent pour moi les gardiennes, avec leur assurance... Leur devise me donne des **frissons** depuis longtemps. J'aimerais moi aussi pouvoir porter leur collier avec fierté et engagement. Mais est-ce que je suis prête?

— De nous deux, c'est toi l'aventurière, celle qui fonce. Allez, viens, ta mère est en train de ramener *Lalaith* à son arbre-hôte, et je lui ai dit qu'à son retour il y aurait une nouvelle gardienne. *Kamö* nous attend près de *Ralden*.

Tandis que *Tylion* poursuit ses explications, *Elenwë* regarde son père au bas des marches, tout souriant. Puis, décidée, elle dit :

— L'arbre-hôte gardien de l'est, oui, c'est bon, c'est d'accord, je sais où est *Ralden*. Allez, vite, *Tylion*, arrête de parler, il faut se dépêcher! intervient *Elenwë* en coupant la parole à son ami avec un **sourire** malicieux.

Tylion sourit à son tour et emboîte le pas d'*Elenwë* dans les marches d'*Eldenya*.

Les deux jeunes elfes **confiants** arpentent le chemin dans la forêt, décidés à créer leur propre histoire, à laisser leurs traces.

5 - Les oursons

Personnalise ton livre en coloriant cette illustration à ton goût!

Oursé est un petit ourson brun, le plus jeune des trois frères de quelques secondes. On dirait par contre que cela fut suffisant pour qu'il soit toujours plus **craintif** que ses aînés *Oursi* et *Oursa*.

Les trois oursons longent la lisière de la forêt, se laissant distancer par *Mamourse*, leur mère, qui veut rapidement se rendre à la rivière, boire et s'installer afin d'être prête pour la nuit.

Mamourse s'approche de ce qui semble être une forêt **sinistre**. Elle veut renifler l'air et vérifier ce qu'il y a à l'intérieur avant d'y faire entrer ses oursons.

Au même moment, perché dans un arbre, la gardienne *Aranna*, **alerte**, aperçoit la famille d'ours longer le dôme du clan Boréal vers l'est. Elle touche le tronc de son arbre-hôte gardien du nord, *Nolden*, et automatiquement ses pensées se transcrivent sur l'écorce :

*Au nord, une ourse et ses trois oursons. Nous pouvons enlever le **charme** de forêt inhabitée pour eux.*

Informer Calimmacil d'un déplacement à prévoir

éventuellement.

– Aranna

Aranna a utilisé un tectaulë afin de transmettre le message aux autres arbres-hôtes gardiens, mais aussi à *Telpëria*, l'arbre-hôte d'*Atanatar*, qui est le chef du clan Boréal et un des plus anciens protecteurs.

Le cœur de *Mamourse* se met à battre plus lentement lorsqu'elle voit tout à coup une forêt **bienveillante** et sent la brise fraîche et l'odeur des poissons provenant de la rivière qui coule à proximité. Satisfaite, elle regarde ses oursons et leur indique de la suivre.

Oursi voit le signe de sa mère et commence à avancer avec *Oursé*. Mais *Oursa* regarde la grosse pierre au loin devant elle. *Oursi* comprend alors et, vite, il veut faire la course et arriver avant sa sœur. *Oursa* réussit à le dépasser et à glisser la première de la roche pour arriver dans l'herbe. *Oursi* glisse à son tour en effectuant une roulade. Ils s'amusent!

Oursé, le plus sensible et **inquiet** des oursons, sait que sa mère est rassurée quant à la forêt. Pourtant, son regard reste figé sur sa mère qui s'éloigne et ses frères qui jouent. Il sent ses poils se **hérisser** et a l'impression qu'on les observe.

6 - La gardienne de l'imprévu

Kamönendil, grâce à son talent spécifique, **voit** les émotions de tous les êtres vivants autour de lui. Le fil de fumée rose de **l'excitation** des jeunes elfes vient de passer le pont de la rivière, au centre du clan. Il détourne alors son regard de l'horizon de la nuit qui se profile afin de marcher vers eux.

Quand il les aperçoit, il leur envoie la main et dit :

— Une soirée **spéciale**, n'est-ce pas?

— Oui, très spéciale. Et comment va *Lalaith*? demande *Elenwë*.

— Elle ira mieux demain, espérons-le, répond le mage du clan.

— Qui peut avoir posé un tel piège? se questionne *Elenwë*.

— Sûrement un trappeur, un chasseur qui utilise des pièges. C'est permis pour chasser le petit gibier, mais aussi, depuis quelques années, l'ours noir, qui devient une **menace** pour certains visiteurs de la forêt, dit *Kamö*.

Regardant vers le ciel, le mage poursuit son explication.

— Je me rappelle, dans les premiers cycles du clan Boréal, avoir fait la connaissance d'un chef amérindien qui avait appris cette technique des Européens. Je pourrai vous raconter un jour l'origine des **esprits** de la forêt. Mais il se fait tard, nous te laissons aller rejoindre *Ralden*. Pense à te présenter!

— Assurément, répond rapidement *Elenwë*, à la fois **nerveuse** et excitée.

— Bonne veillée, *Elenwë*! lance *Tylion*, **satisfait** d'avoir saisi une belle occasion pour son amie.

Kamö fait un signe de la tête à *Elenwë* et part avec *Tylion* en mettant son bras par-dessus ses épaules. On y voit sa **fierté** et son désir de le protéger.

Elenwë les regarde s'éloigner en se disant qu'elle **aimerait** bien que sa mère soit aussi fière d'elle. Elle reprend rapidement ses esprits et va déposer un genou près de *Ralden*, l'arbre-hôte de l'est. Elle place une main sur son tronc et parle fort tout en envoyant sa pensée sur un tectaüle.

— Gardien naturel, s'il te plaît, accorde-moi ta **confiance**. J'étudie et je répète la devise des gardiennes depuis que je suis toute petite et je ferai de mon mieux ce soir pour veiller sur l'est du clan.

Patiente et immobile, *Elenwë* fixe l'intérieur de l'écorce devant contenir la réponse de l'arbre-hôte, qui consulte probablement le réseau des arbres-hôtes du clan Boréal.

Le sol est humide, une brise caresse les cheveux rouges d'*Elenwë*. Même si une mèche vient chatouiller son nez, elle reste concentrée en respirant **calmement**.

Puis, le tronc de *Ralden* commence à bouger en émettant un bruit sourd et les mots suivants apparaissent sur le tectaüle :

*Bienvenue, gardienne de **l'imprévu**!*

Elenwë ressent un **frisson** et se met à monter les marches de l'arbre-hôte afin d'aller se poster pour sa veillée.

Ensuite, elle tente de se camoufler dans les branches de l'arbre, trouve un endroit « confortable » et commence un cycle de méditation éveillée de gardienne : en restant discrète et alerte, elle doit observer la venue de tout animal ou être vivant pour lui permettre d'entrer dans le dôme du clan Boréal.

Après un bon moment, *Elenwë* aperçoit *Nerwendë* qui monte pour venir à sa rencontre.

— Tu es chanceuse d'avoir un ami **bienveillant** et qui a confiance en toi comme *Tylion*, lance d'entrée de jeu la chef des gardiennes.

— En effet, mère, et il est peut-être encore plus confiant que je ne le suis moi-même... J'espère ne pas te **décevoir**, répond timidement *Elenwë*.

Nerwendë prend un moment pour regarder sa fille qui a grandi si vite pour une elfe. Elle se demande souvent si le clan Boréal peut accélérer les effets du temps.

— Fais de ton mieux, et surtout sois **prudente**. On l'a vu avec *Lalaith* ce soir, la nuit cache parfois des pièges... mais aussi de magnifiques surprises. Ah! et dernière chose : lors d'une veillée, tu devras avoir la même **discipline** que les autres gardiennes. Il ne faut pas qu'elles pensent que parce que tu es…

— Bien sûr, héra, j'ai compris, c'est la même chose avec papa et les chasseurs, l'interrompt *Elenwë*.

Et elle se retient d'ajouter « ou presque », puisqu'avec son père il y a toujours moins de formalité et de **rigueur**. *Elenwë* adore ses parents avec les caractéristiques qui leur sont propres : cela **équilibre** les énergies dans la maison.

7 - Les coyotes

Nerwendë fait à *Elenwë* un petit compte rendu de la façon dont se déroule la veillée jusqu'à présent et lui explique comment suivre les communications des autres gardiennes avec son arbre-hôte gardien.

La chef des gardiennes mentionne qu'elle aura entre autres à **surveiller** trois oursons bruns qui suivent la bordure du dôme en s'éloignant un peu de leur mère, qui semble quant à elle se diriger vers la rivière. Leur père est probablement plus loin, il n'a jamais été aperçu avec eux.

Elenwë monte plus haut dans les branches afin de voir si elle peut apercevoir les petits oursons **égarés**.

— Oui, les voilà! dit-elle en repérant les oursons à l'extérieur du dôme. Ils ont trouvé une roche pour glisser et **s'amusent** à faire des culbutes. Ahhh, trop **mignon**!

Le cœur **attendri**, la jeune elfe prend le temps d'observer un des oursons sauter sur le dos de son frère tandis qu'un troisième se tient plus bas, hésitant, regardant au loin.

Elenwë les trouve tellement beaux qu'elle s'efforce de mémoriser tous les détails de la scène afin de bien la reproduire sur une peinture qu'elle pourra offrir plus tard à *Lalaith*. Cette gardienne blessée est aussi sa professeure d'arts multiples.

Par contre, peu à peu la **nervosité** l'envahit. Elle se rend compte que les oursons sont encore très loin, à l'extérieur du dôme, visibles, sans leurs parents, sans défense et inconscients des dangers. Lorsqu'elle **sent** ses poils se dresser sous une brise, elle comprend que son intuition était juste.

— *Elenwë*, reste ici, ordonne *Nerwendë*.

La nouvelle gardienne voit sa mère sauter d'une branche à l'autre afin de rejoindre l'arbre voisin, puis reculer pour prendre son élan. *Elenwë* regarde plus loin, et réalise que *Nerwendë* a aperçu du mouvement dans les herbes hautes, probablement des animaux qui rampent **sournoisement** près des oursons.

Cinq coyotes se relèvent l'un après l'autre, le regard **perçant**.

La gueule grande ouverte, ils s'élancent de façon désordonnée chacun de leur côté afin de mordiller les oursons de leurs dents **tranchantes**.

La chef des gardiennes court sur une branche, virevolte dans les airs en tenant sa lance d'une main et son bouclier de l'autre et, d'un seul coup, assomme **vivement** deux coyotes qui s'étaient rendus tout près des oursons. Or il en reste encore trois autres prêts à attaquer!

« Je dois faire quelque chose! » se dit *Elenwë*.

La jeune elfe décide donc d'effectuer un saut qui lui permettra d'atterrir aux côtés de sa mère, devant les bêtes assommées et les oursons, pour essayer **d'effrayer** les trois autres coyotes gris dont les yeux brillent dans le noir.

Lorsqu'*Elenwë* retombe sur ses pieds, une énorme bourrasque fait virevolter les oursons vers l'arrière de la roche tandis que les coyotes toujours debout tentent **nerveusement** de s'agripper au sol avec leurs griffes.

L'instant d'après, les cheveux rouges d'*Elenwë* se dressent dans les airs, comme **attirés** par le dôme derrière elle. C'est alors que cette formidable énergie du dôme d'*Atanatar*, de son arbre-hôte *Telpëria* et des arbres-hôtes gardiens **entoure** *Elenwë*.

Le dôme du clan Boréal vient de se modifier et de s'agrandir par sa seule présence, **sans bouclier**! Le corps figé en étoile, les cheveux dans les airs, *Elenwë* ressent toute l'énergie vitale du dôme qui la traverse et **l'enveloppe** comme si elle était sous une chute d'eau.

Ayant senti le vent, *Nerwendë* secoue la tête et regarde vers l'est. Elle **craint** le pire, elle se prépare à attaquer les trois coyotes qui restent. Lorsqu'elle voit *Elenwë*, elle reste bouche bée!

Les coyotes ont peur et sont tout à coup **désorientés**. Ils retroussent les babines, grognent et se mettent sur leurs gardes pendant un instant.

Ils ne voient plus leurs proies, les oursons. Même leur odorat exceptionnel ne détecte plus rien. Confus, ils s'enfuient loin de cette forêt à l'odeur infecte.

Satisfaite qu'ils quittent les lieux, la chef des gardiennes regarde toutefois sa fille sans comprendre. Mais comment cela est-il possible, elle n'a même pas pris de bouclier!

Nerwendë fait signe aux oursons restés figés d'aller rejoindre leur mère, puis elle plante son bouclier dans le sol pour refermer le dôme et libérer sa nouvelle gardienne. Elle attrape ensuite *Elenwë* flottant dans les airs, un peu somnolente, juste avant qu'elle se réveille.

Debout, mère et fille se regardent dans les yeux, **émues**, durant une seconde qui paraît durer une éternité, jusqu'à ce que des bruits de pas les ramènent à la réalité.

Mablung, *Aranna* et *Minérël* n'ont pu s'empêcher de venir voir ce qui se passait, ayant senti toutes les vibrations et modifications dans l'énergie de leur bouclier et dans celle du dôme.

— Ça va, *Elenwë*? demande *Minérël*, inquiète.

— Oui, j'ai vraiment cru que ma mère et les oursons pourraient se faire attaquer, alors j'ai sauté de *Ralden* pour les protéger, répondit-elle.

— Mais les protéger de quoi? dit *Mablung*.

— Sûrement des autres coyotes de la meute, explique *Aranna* en pointant du doigt les bêtes étendues au sol.

— Oui, eux, c'est notre chef qui les a eus en faisant un prestigieux saut, c'était génial! Ensuite, je ne sais pas trop ce qui est arrivé... essaie d'expliquer *Elenwë*.

Nerwendë recule d'un pas et complète **calmement** :

— ... ensuite, pour une raison que j'ignore, le dôme s'est étendu jusqu'à toi et tu t'es mise à flotter dans les airs. Cela t'a rendue invisible, ainsi que les oursons et moi, aux yeux des coyotes. Pour comprendre, je devrai en parler à *Kamönendil*.

— Mais, héra, l'énergie du dôme ne se connecte-t-elle pas habituellement à nos boucliers ou entre des arbres-hôtes gardiens? demande *Aranna*, intriguée.

Nerwendë **sourit** et se retourne vers les gardiennes, puis, après une grande respiration, elle explique sagement :

— Nous vivons depuis des centaines de cycles, et nous savons bien maintenant que dans la nature, les énergies vitales, autant dans cette réalité qu'ailleurs, trouvent toujours leur chemin. Parfois avec notre aide et d'autres fois par elles-mêmes.

Toutes les gardiennes acquiescent de la tête, et en posant deux doigts sur le cœur, elles saluent ces paroles vraies et **remercient** intérieurement la vie.

— Maintenant, *Mablung*, toi qui possèdes un arc et qui es le meilleur chasseur ici, peux-tu, s'il te plaît, tirer une flèche derrière l'oreille des coyotes pour les maintenir endormis jusqu'à ce qu'arrive l'aube et que *Calimmacil* vienne les voir? demande la chef des gardiennes à l'elfe de la nuit.

Mablung, **honoré**, incline la tête en guise d'approbation.

— Allons terminer cette veillée, chères amies, je vais continuer de mon côté avec *Elenwë*. Cela va pour tout le monde? poursuit *Nerwendë*.

— Héra! répondent en chœur les gardiennes avant de retourner à leur arbre-hôte gardien.

Elenwë essuie la petite **larme** de **joie** qui brille au coin de son œil : elle avait bel et bien répondu en chœur avec les autres gardiennes, comme le lui avait demandé la chef des gardiennes, sa mère, *Nerwendë*!

8 - La fin d'un cycle

Lorsque l'aube se présente, *Maurice* est le seul debout. Il a discuté longtemps la veille avec ses petits-enfants. Ils avaient beaucoup de questions et il était heureux de leur répondre. Cela s'est passé **mieux** que prévu.

« On sous-estime la capacité d'adaptation et de compréhension des enfants. Ils sont moins souvent dans le jugement que nous, les adultes », se dit-il.

« **Roooooaaaaaar**! » Le cri d'un ours résonne dans la forêt.

Maurice se lève d'un bond, les enfants ne semblent pas s'être réveillés.

— Ça ne pouvait pas mieux tomber! se dit-il.

Pratiquer le trappage en respectant les cycles naturels de la vie est une chose, mais voir la **fin** d'un cycle... c'en est une autre.

Maurice vérifie ses poches, et même s'il ne fume pas, il s'assure que le tabac séché et la branche de sauge de ses ancêtres s'y trouvent avant de se diriger vers son gros piège à ours en véhicule tout-terrain.

Après avoir roulé dans la forêt pendant quelques minutes, il voit l'ours assommé dans son piège par les billots de bois, le regard **vide**. *Maurice* le regarde attentivement, le touche avec une branche. L'animal ne bouge plus, ne respire plus. Sa mort fut **brève** et presque sans douleur.

Le trappeur dépose la branche de sauge et le tabac sur sa fourrure et s'agenouille près de lui en gardant le silence dans le **respect**.

Quelques minutes plus tard, *Maurice* défait le piège, l'appât, et entreprend minutieusement de transporter l'ours à l'aide de la remorque attachée au véhicule tout-terrain.

* * *

Un peu plus loin, *Kamö* a déjà pris la relève, assurant la transition entre les gardiennes de nuit et les gardiennes de jour. Il prend une bonne respiration, effectue mentalement un tour d'horizon de toutes les frontières du clan Boréal et visualise les filets de fumée **d'émotions** qui l'entourent.

À ses côtés, assis patiemment, *Atanatar* prend son thé boréal du matin.

Ils entendent le cri de l'ours, puis *Kamönendil*, toujours les yeux fermés, voit tranquillement s'envoler au loin son **effluve** de vie qui, du rouge foncé, passe au gris et au noir, avant de se transformer en fumée blanche. Un sentiment d'abandon et de **paix** l'envahit.

Au même moment, *Nerwendë* fait son entrée chez *Katar*, l'arbre-hôte du mage du village. Sans introduction, elle demande :

— Vous avez entendu?

— Je l'ai même **ressenti**. C'était la fin du cycle d'un ours mâle qui a créé beaucoup de **souffrance**, de **peur** et de **rage**, mais ces effluves se sont dispersés dans la nature de façon équilibrée, répond *Kamö*.

— Une chance qu'il n'est pas venu ici, car je crois que j'aurais demandé une fin de cycle aux chasseurs, commente *Atanatar*.

— Ah oui, vous croyez que cet ours provoquait un déséquilibre et non pas qu'il était arrivé au terme de son cycle? demande *Nerwendë*.

— Je le pense, oui, confirme le mage du clan.

Comme presque tous les matins, *Nerwendë*, *Atanatar* et *Kamönendil* se rencontrent pour parler des divers évènements de la nuit et de ceux du jour à surveiller. *Nerwendë* leur résume donc le déroulement de la soirée.

— Cette nuit, bien sûr, il y a eu le piège de *Lalaith*, puis nous avons éloigné des coyotes et sauvé les oursons qu'ils ciblaient. Ces derniers sont en **sécurité** avec leur mère près de la rivière. Nous avons également accueilli lapins et chevreuils, et nous avons surveillé une meute de loups qui rôde, mais qui reste prudemment à l'ouest, plus haut dans la montagne.

— Félicitations, toute une première veillée pour *Elenwë*! s'exclame *Kamö*.

— En effet! Et d'ailleurs, le dôme s'est étendu jusqu'à elle une fois qu'elle a sauté de *Ralden* pour venir m'aider avec les derniers coyotes. Elle est restée en croix ainsi jusqu'au moment où mon bouclier planté au sol l'a **libérée** du flot d'énergie du dôme. Vous avez déjà assisté à une telle manifestation de l'énergie vitale? questionne la chef des gardiennes.

— Hum, mis à part avec notre reine *Naiira* en Terre ancestrale, non, répond *Atanatar*, le protecteur.

— L'énergie vitale est née du chant de la vie. Cette énergie se manifeste selon divers talents naturels et très rarement lors de talents spécifiques, comme c'est le cas pour *Tylion*. En toute honnêteté, *Elenwë* demeure un mystère pour moi, il émane d'elle une **aura** différente par moment. Il se peut très bien qu'elle développe un talent spécifique dans les prochains cycles, explique le mage du clan.

Nerwendë, perplexe, reste silencieuse un instant. Même si elle est la chef des gardiennes, elle est aussi la mère d'*Elenwë*. Enfin, en partie... D'ailleurs, il faudrait bien un jour qu'elle et *Calimmacil* en discutent avec *Elenwë*. Reprenant le fil de la conversation, elle dit à *Kamönendil* :

— Pour aujourd'hui, donc, j'imagine qu'on pourra surveiller la famille d'ours. Il faudra sûrement que les chasseurs les endorment et les déplacent. En ce qui concerne les coyotes, je crois que *Mablung*, *Calimmacil* et deux autres chasseurs s'en chargent déjà.

— C'est parfait, prenez le temps de vous reposer. Les prochains jours devraient être plus tranquilles, et puis cette nuit a été une longue veillée! conclut *Atanatar*.

9- Rassemblement

Un cycle de plusieurs nuits de veille s'est terminé pour *Elenwë* et les gardiennes parties en expédition sont revenues. Penchée sur son œuvre, la nouvelle gardienne met la dernière touche de couleur à la peinture des oursons qui s'amusent sur la roche près des limites du dôme.

Elle part ensuite vers la passerelle en hauteur, entre les arbres-hôtes du centre du village. Une fois rendue au milieu du petit pont, *Elenwë* aperçoit l'elfe qui a déclenché sans le savoir la réalisation de son **rêve**.

Derrière elle, on voit, flamboyant, l'arbre-hôte *Felyanwë*, dont les feuilles arc-en-ciel étincellent sous le soleil. Depuis sa rencontre avec *Lalaith*, l'artiste multi-talentueuse, l'arbre-hôte conserve ses couleurs automnales en toute saison.

Sous le coup de **l'émotion**, les deux elfes se serrent dans leurs bras sans dire un mot entre deux arbres-hôtes, comme si l'espace formé par le petit pont était suspendu dans le temps.

— Comment vas-tu, *Lalaith*? demande *Elenwë*.

— De mieux en mieux, grâce à ton ami *Tylion*. Il est même repassé me voir afin de m'insuffler encore un peu de son énergie de guérisseur, explique *Lalaith*.

— Ah, tant mieux! J'ai peint cela pour toi, ce sont les oursons que nous avons protégés. Au fait, les coyotes qui les menaçaient étaient probablement les vraies cibles du piège dans lequel tu as marché, dit *Elenwë* avec **fébrilité** en remettant son tableau à *Lalaith*.

Celle-ci la remercie d'un grand sourire et prend le temps d'admirer la beauté des détails et des couleurs de sa peinture. Elle est ravie. Comme réponse, **l'étreinte** est la seule option valable.

Sans faire attention, *Tylion* brise un peu le moment en criant du bas de la passerelle :

— *Elenwë*, viens vite, mon père est avec ta mère et ils ont une annonce à faire, je pense même qu'il va...

Un **bruit** de corne retentit très fort dans le clan Boréal, coupant la parole à *Tylion*. C'est *Atanatar* qui a soufflé dans son olifant[6] pour le rassemblement.

---

[6] L'olifant (anciennement « oliphant ») est un instrument de musique à vent. On l'appelle aussi « corne » ou « cor de guerre ».

— Allez-y vite, les jeunes, je vous rejoins! lance *Lalaith*.

Elenwë saute de la passerelle à une branche d'arbre. Elle est si légère que la branche ne plie pas. Elle retombe sur une branche plus basse, puis culbute et atterrit à côté de *Tylion*.

— Ah bon, ça va, dame *Elenwë*, on veut encore épater la galerie! Allez, cours!

Les deux jeunes elfes éclatent de **rire** et courent vers le centre du clan Boréal où se trouve l'arbre-hôte *Telpëria*.

Un groupe a commencé à se rassembler. En son centre, on aperçoit côte à côte *Atanatar*, *Nerwendë* et *Kamönendil*.

Les artisans de la nature portent toujours leur tablier et arrivent en essuyant leurs mains qui travaillent la terre depuis déjà très tôt ce matin. *Indis*, la mère de *Tylion* et la chef des artisans de la nature, est à l'avant avec *Yvana*, que l'on appelle **affectueusement** la magicienne des fruits.

On y voit également, formant un cercle, certaines gardiennes de jour, et les gardiennes de la veillée de nuit qu'*Elenwë* a côtoyées durant la dernière semaine : *Aranna*, *Minérël*, *Mablung* et finalement *Lalaith*, qui se tient à l'arrière.

Les chasseurs qui étaient partis déplacer *Mamourse*, *Oursi*, *Oursa* et *Oursé* reviennent à l'instant. En les voyant arriver, *Tylion* demande à *Elenwë* :

— Tu es au courant, toi, de la façon dont ils ont déplacé les oursons? Ils n'ont pas eu à leur tirer une flèche derrière l'oreille pour les endormir?

— Non, non, explique *Elenwë*. Ils ont seulement endormi la mère tout en servant à manger aux petits, qui les ont suivis. D'ailleurs, je ne comprends toujours pas comment c'est possible, mais mon père dit que c'est parce qu'ils ne sentent pas la menace dans nos yeux et que lorsqu'on renouvelle l'énergie de l'animal endormi, un sentiment de **confiance** et de paix se dégage tout autour de nous.

— Ah, d'accord, approuve *Tylion*.

Elenwë regarde fièrement ses compagnons de chasse qui renouvellent quotidiennement le cycle de vie des animaux. Il y a *Curudïn*, *Voronwë*, *Fëanàro*, *Calimehtar* et bien sûr *Calimmacil*, son père et le mentor de tous les chasseurs.

Constatant que la majorité des elfes sont rassemblés, *Atanatar* effectue son annonce :

— Étant donné les derniers évènements, notre chef des gardiennes ainsi que notre mage du clan m'ont rapporté des faits exceptionnels qui nous permettent de **célébrer**. Ainsi, d'ici deux jours, nous pourrons procéder à la cérémonie ancestrale d'accueil des nouvelles gardiennes. *Mablung* est déjà à l'essai depuis quelque temps et *Elenwë* a bien su apporter sa contribution **imprévue** au cours de la dernière semaine. Félicitations à vous deux!

Comme *Mablung* a déjà eu droit à une cérémonie de nuit, faite discrètement à sa demande, il est surpris et heureux de cette attention d'*Atanatar*. Il a toujours senti que ce dernier possédait un grand sens de la diplomatie et un fort esprit **rassembleur**.

Elenwë regarde *Tylion*, **émue** et **excitée**. Ils se sautent dans les bras, et puis en se retournant, elle baisse la tête vers sa mère et *Atanatar* en murmurant un « merci » silencieux sous les applaudissements de tous les elfes du clan Boréal.

* * *

Le lendemain, tous préparent l'évènement. Les artisans de la nature récoltent gaiement fruits et légumes, puis apprêtent les aliments dont ils auront besoin pour le buffet qui sera servi après la cérémonie.

Minérël nettoie et accorde les instruments de musique. Elle tente vaillamment de rassembler les chants et les mélodies souvent éparpillés au gré du vent, puisque traditionnellement, pendant la cérémonie, il y a de la musique, et après le repas, les elfes aiment danser et chanter.

Nerwendë tient à travailler personnellement avec la forgeronne, *Nerdanel*, afin de fabriquer et de faire **briller** le nouveau bouclier d'*Elenwë*.

De son côté, cette dernière décide d'aller voir un elfe

exceptionnel, un artisan couturier du clan Boréal.

— Bonjour *Terendul*, vous avez entendu la nouvelle? dit *Elenwë* sans introduction en entrant chez lui.

— Bonjour *Elenwë*. Oui, bien sûr, félicitations.

— C'est une superbe occasion, et comme vous êtes le meilleur artisan de vêtements que je connaisse…

— Je suis le seul ici, *Elenwë*! coupa *Terendul*.

— Oh, ne faites pas votre **grincheux**, aidez-moi à réaliser un de mes rêves : créer une superbe robe, légère et ample, qui me permettra de virevolter au son de la musique après la cérémonie. Ce sera fantastique! explique avec enthousiasme la jeune elfe.

Terendul est un elfe des glaces, qui reste normalement **distant** et froid avec les autres. Il ignore pourquoi, mais *Elenwë* n'a jamais été impressionnée par sa large carrure ou ses airs que d'autres pouvaient considérer comme hautains.

Elle l'accepte comme il est, avec toutes ses facettes, et elle est une des rares à être aussi **passionnée** que lui par les vêtements et les tissus. C'est pourquoi il peut rarement lui résister. Il ressent même une pointe d'excitation, mais par habitude, il ne veut pas trop l'exprimer.

— Bon, alors, si tu insistes… Mais si tu m'empêches de travailler à mon rythme, tu iras t'amuser ailleurs. Allons voir les tissus naturels que j'ai cumulés au fil du temps.

— Super! Merci *Terendul*, vous verrez, elle sera superbe, ce sera notre œuvre d'art! Et puis, de toute façon, je dois aller à une chasse cet après-midi, alors je ne serai pas dans vos pattes trop longtemps! dit *Elenwë* en souriant.

Si l'on connaît bien *Terendul* et que l'on regarde attentivement, au coin de ses lèvres on peut percevoir un **sourire**.

10 - La cérémonie

Elenwë arrive en même temps que *Tylion* au bas de la montagne aux trois chutes, là où l'eau est perlée. C'est l'œuvre des magnifiques **rayons** ensoleillés. La nature autour a dupliqué l'ensemble de ses beautés.

— C'est une très bonne idée que tu as eue, *Elenwë*, de venir tôt. On pourra en profiter et puis on sera propres et **purifiés** avant de s'habiller pour la cérémonie, dit *Tylion* en entrant dans l'eau de la rivière au bas des chutes.

— Ah oui, vraiment, et on pourra relaxer un peu. Parce que je vais t'avouer, *Tylion*, que je suis **nerveuse** et que j'ai eu de la misère à dormir, explique *Elenwë*.

— C'est normal, c'est une cérémonie importante, et tout le clan sera rassemblé. Tu auras sûrement à dire des choses, mais tout ira bien... Tu connais déjà leur devise par cœur, non? questionne *Tylion*.

Elenwë fait un signe affirmatif. Elle choisit ensuite le meilleur endroit pour s'asseoir sur les roches, dans l'eau, puis, en prenant une grande **respiration**, elle incline sa tête vers l'arrière et l'appuie contre le coussin naturel que forme l'herbe.

— Oui, c'est vrai, mais ma mère va me poser des questions avant de me remettre mon collier et mon bouclier, répond *Elenwë*.

— Tu vas t'en sortir, et après il y aura un buffet délicieux. Miam! dit *Tylion* en se léchant les babines.

— Et de la **danse** et des **chants**! ajoute *Elenwë*, tout excitée, en tournant sur elle-même dans l'eau.

Tout à fait l'inverse de son ami, qui lève les yeux au ciel en soupirant.

— Mais oui, arrête, tu vas finir par aimer danser, c'est envoûtant, tu verras! insiste *Elenwë*.

Les deux jeunes elfes restent ainsi à contempler la **nature** du bas des chutes quelques minutes, puis chacun repart de son côté pour se préparer.

Un peu plus tard, du côté de l'arbre-hôte *Eldenya*, *Elenwë* enfile sa nouvelle robe, que *Terendul* a terminée. *Calimmacil* et *Nerwendë* sont au bas de l'escalier et regardent leur petite elfe de dix cycles qui est déjà prête à faire sa place.

Ils sont remplis de **fierté**, de confiance, et comme tous les parents, de doutes et **d'inquiétudes**, espérant avoir fait le bon choix en la laissant devenir gardienne en plus de chasseuse.

Elenwë arrive au bas des marches doucement, elle est magnifique dans sa robe vert émeraude décorée de plusieurs vraies fleurs qui resteront épanouies grâce au talent naturel des elfes.

— Tu es **resplendissante**, *Elenwë*! s'exclame *Nerwendë*, qui est la première à retrouver la parole.

Tandis que mère et fille se serrent tendrement, *Calimmacil* est encore sous le choc de voir *Elenwë* si **belle**. Une fois qu'a pris fin leur étreinte, il finit par lui dire, ému :

— Ah, par *Naiira*, mais comment cela est-il possible? J'ai une petite elfe encore plus belle que sa mère!

Toute la famille se met à **rire**. *Calimmacil* a toujours eu le don de détendre l'atmosphère. Ensemble, ils descendent d'*Eldenya* et se dirigent vers *Telpëria*, au centre du clan, pour le début de la cérémonie.

Longeant la rivière, ils aperçoivent le **beau** *Mablung*, vêtu d'une robe de cérémonie bleu ciel et portant son magnifique bouclier à la main et son arc à l'épaule. Il est accompagné de sa mère *Minérël*, et suivi de *Tylion* et de sa mère *Indis*.

Une fois arrivés, *Mablung* et *Elenwë* se dirigent côte à côte vers le centre du groupe, et *Nerwendë* se place aux côtés d'*Atanatar* et de *Kamönendil*.

Nolofinwë aussi est présent, assis sur une chaise. Il est le sage du clan Boréal, possédant la mémoire ancestrale des elfes ainsi que le don de voir la tapisserie des **possibilités** de la vie. Et d'ailleurs, en apercevant les deux jeunes elfes, il **frémit** et fronce les sourcils, mais sans rien dire.

Au bas de *Telpëria*, *Atanatar*, qui est monté sur un tronc d'arbre coupé bien avant l'arrivée des elfes, ouvre la cérémonie :

— Bonjour à tous. Aujourd'hui, nous sommes rassemblés afin d'accueillir officiellement deux nouveaux membres dans le groupe des gardiennes du clan Boréal.

« Plusieurs elfes ont de multiples talents afin d'accomplir plus d'un **rôle**, mais exercer en même temps celui de chasseur et de gardienne, j'ai rarement vu cela au cours de mes quarante-huit cycles.

« J'ai donc le plaisir de vous présenter tout d'abord *Mablung*, le seul elfe de la nuit du clan, qui veut naturellement se joindre aux gardiennes. Il a reçu son bouclier et sa chaîne lors d'une cérémonie discrète de nuit, mais je tiens à ce qu'il récite sa devise et reçoive notre **gratitude** et notre **confiance** en même temps qu'*Elenwë*.

« Cette dernière est une lumière **d'espoir** imprévue ayant, déjà à son âge, les multiples talents de ses deux parents. Veuillez vous avancer ici, les jeunes, voilà, au centre. »

Atanatar descend de son piédestal et se dirige vers eux, qui penchent la tête en signe de respect et de gratitude, puis se place sur le côté. Les elfes du clan applaudissent pendant que *Nerwendë* monte à son tour sur le tronc d'arbre.

Elenwë vient de remarquer le magnifique bouclier tenu par *Lalaith*. Par contre, il est à l'envers pour que l'emblème distinctif reste caché.

Nerwendë élève la voix afin que tous l'entendent.

— Nous voici au pied du premier arbre-hôte gardien, *Telpëria*, qui a bien voulu créer le dôme avec l'aide de l'énergie vitale d'*Atanatar* et de la connaissance de *Kamönendil*.

« Merci, *Atanatar*, notre chef et ancien protecteur de la Terre ancestrale, d'avoir fondé le groupe des gardiennes lors de la création du clan Boréal. »

Tous ensemble, les elfes répondent en chœur« **merci** » en posant deux doigts sur le cœur.

Puis, la chef des gardiennes poursuit son élocution.

— Nous devons être prêtes et disponibles en tout temps afin d'identifier, de surveiller et de protéger dans l'immobilité.

« *Mablung*, tu as déjà accepté ces engagements et je t'en suis reconnaissante. Je vais donc maintenant m'adresser seulement à *Elenwë*.

« Nous, gardiennes, voulons nous engager à protéger l'ensemble des **cycles** de vie qui nous entourent tout en respectant **l'équilibre** naturel. *Elenwë*, acceptes-tu cet engagement? »

Elenwë est hypnotisée et envoûtée. Elle se ressaisit après quelques instants et répond **nerveusement** :

— Oui, héra, *Nerwendë*.

Tylion a un petit sourire en coin. *Nerwendë* poursuit :

— Lorsque c'est nécessaire, nous sommes la garde rapprochée du conseil de la nature et des chefs du clan au péril de notre vie. Acceptes-tu cet engagement?

Cette fois-ci plus rapidement, la nouvelle gardienne répond :

— Certes, héra!

— Nous, gardiennes, voulons nous **engager** à protéger les cycles de vie des êtres vivants. *Elenwë*, acceptes-tu cet engagement? enchaîne sa mère.

— Oui, **héra**! répond la nouvelle gardienne, en douceur cette fois-ci, réalisant que la cérémonie est très simple, finalement.

Nerwendë fait une pause avant de continuer afin de bien choisir ses mots, puisque le saut d'*Elenwë* et sa façon exceptionnelle d'avoir étendu le dôme sont sur toutes les lèvres.

Plusieurs en parlent avec admiration, mais pour d'autres, dont *Kamönendil*, *Aldéa* et *Atanatar*, c'est un sujet **délicat** qui pousse à la remise en question et au doute devant l'étendue des pouvoirs et des possibilités qu'*Elenwë* représente.

— Le dôme demande beaucoup d'énergie, surtout pendant le cycle hivernal. Nous avons tous constaté ta grande capacité de **canaliser** et de rassembler cette énergie vitale. *Lalaith*, s'il vous plaît.

La gardienne interpellée s'avance, le sourire aux lèvres, pour apporter le nouveau bouclier et la chaîne des gardiennes à *Elenwë*.

— Nous avons donc personnalisé ce bouclier de gardienne afin qu'il te rappelle cette journée unique et qu'il t'aide à constamment renouveler l'énergie vitale émanant du chant ancestral de la vie. Cette chaîne te relie à nous au-delà du **temps** et des **réalités**, explique la chef des gardiennes.

Elenwë prend des mains de *Lalaith* le sublime bouclier serti d'émeraudes et décoré de fleurs peintes. En son centre, elle distingue une petite patte **d'ourson** entourée du symbole protecteur des gardiennes et de l'équilibre des forces de la nature.

— **Merci**, dit-elle tout simplement, d'une voix émue.

— Et maintenant, *Mablung*, *Elenwë*, veuillez nous réciter la devise des gardiennes, poursuit *Nerwendë*.

Les nouvelles gardiennes se regardent et se redressent le dos. Tenant bien droit leur bouclier et portant la chaîne qui leur offre une aura de **réconfort**, elles récitent haut et fort :

« Immobiles, invisibles, silencieuses, **alertes** et efficaces, nous **protégeons** le clan. Au-delà de la nuit, au-delà des boucliers, l'inconnu est **surveillé**. »

Tous les membres du clan baissent la tête en signe de **confiance**, puis applaudissent.

La cérémonie terminée, *Atanatar* ajoute pour tous avant d'aller manger :

« Dans la nature, il y a des **équilibres**. Soyez attentifs à vos propres essences et à vos corps, afin de bien les nourrir, les reposer et les renouveler.

« Leur énergie sauve des vies, soyez sensibles, soyez bons, soyez humbles et respectueux envers vous-mêmes et envers toute forme de vie qui vous entoure et qui forme la nature.

« Sur ce, je vous invite à **remercier** Dame Nature et nos artisans de la nature pour le fabuleux buffet de ce soir. Amusez-vous bien! »

Dans la **joie** et la gaieté, tout un chacun savoure le repas composé de soupes, de salades et de poissons aux herbes.

Les plus jeunes goûtent toutes les variantes possibles de cocktails de légumes ou de fruits, tandis que les plus vieux dégustent de l'hydromel ou un thé parfumé, parfois accompagné d'une pipe à tabac.

Les grands aiment discuter et les jeunes ont hâte de danser.

Minérël laisse maintenant voler la musique et les chants sur ses instruments bien décorés.

L'apprenti mage guérisseur *Tylion* et la chasseuse nouvellement gardienne *Elenwë* ont eu une semaine riche en **émotion** et en partage.

Leur **amitié** est de plus en plus solide, ainsi que la confiance qu'ils ont l'un envers l'autre.

Ils peuvent maintenant manger, danser et s'amuser jusqu'à la fin de la veillée, et peut-être même pendant une partie de la nuit.

Le “cherche et trouve” boréal

As-tu bien observé tous les détails du livre? C’est ce que tu pourras vérifier en cherchant les images ci-dessous dans les pages précédentes.

1) Le ruban servant de point de repère au trappeur Maurice.

2) Le bouclier des gardiennes de Lalaith (qu’elle ne porte pas comme une chaîne).

3) Les animaux :

Pico

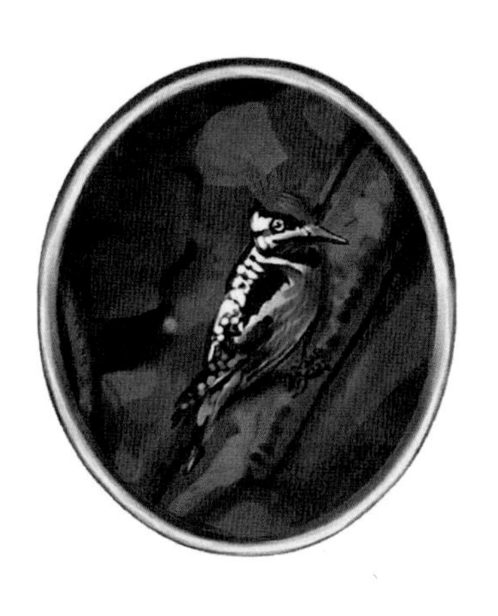

Hélio

Yamil

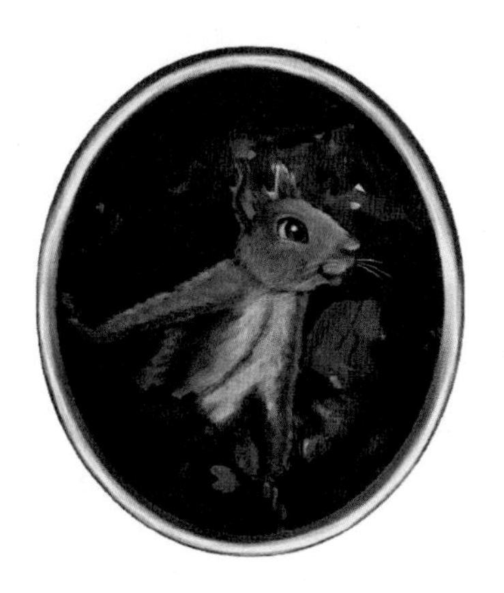

Le quiz boréal !

Tu t'es bien amusé à la lecture de ce livre? As-tu bien tout compris? Oui? Parfait!

Alors, mesure tes connaissances avec ce petit jeu-questionnaire du clan Boréal!

1) Relie la phrase au bon personnage.

« J'ai guéri l'elfe Lalaith. »

« J'ai assommé deux coyotes

en même temps. »

« J'ai un arbre-hôte multicolore

nommé Felyanwë. »

« J'ai éloigné trois coyotes en agrandissant

le dôme du clan Boréal autour de moi. »

2) Qui sont les parents d'Elenwë?

- *Atanatar et Indis*
- *Aranna et Curudïn*
- *Cemendur et Lalaith*
- *Calimmacil et Nerwendë*

3) Elenwë jouera deux rôles dans le clan Boréal à partir de maintenant. À quels groupes ces rôles sont-ils associés?

- *Les chasseurs*
- *Les gardiennes*
- *Les artisans de la nature*
- *Les mages*
- *Les couturières*
- *Les forgeronnes*

Réponses :

1) Dans l'ordre : Tylion, Nerwendë, Lalaith, Elenwë.

2) Calimmacil et Nerwendë.

3) Les gardiennes et les chasseurs.

Cher lecteur,

*Merci d'avoir lu cette histoire! J'espère que tu as aimé cette aventure d'**Elenwë** dans l'univers passionnant du clan Boréal.*

*La prochaine aventure te fera découvrir **Roland Leblanc** dans **L'héritage Boréal**, qui te parlera de sa rencontre avec le clan Boréal et de la façon dont il a découvert ses origines!*

Les remerciements des très précieux collaborateurs du clan Boréal sont sur notre site Web (clanboreal.com), ainsi que plusieurs autres surprises. Aussi, n'hésite pas à nous suivre sur les réseaux sociaux!

Crois en tes rêves, et chaque jour aligne tes actions pour les réaliser, autant les petits que les grands!

Prends bien soin de tes amis puisque l'amitié parfume si bien notre chemin dans la vie[1]!

À la prochaine!

Bonne journée dans ton cycle de la vie!

Markus

JULIEN

---

[1] Inspiré de la citation : « Choisis tes amis avec soin, ils seront les parfums de ton chemin de vie » (Romain Guilleaumes).

Made in the USA
Columbia, SC
24 September 2021